Faça o seu coração vibrar

11/06/2005

Lourdinha

A borboleta voa em busca de uma flor que possa dar sentido a sua existência. Assim é você, vive voando buscando algo mais em prol do conhecimento e do ensinamento. Que Deus sempre lhe dê essa força. Você merece!

Feliz Aniversário!

Glória e Carlos

OSHO

Faça o seu coração vibrar

SEXTANTE

Título original: *Your Answers Questioned*

tradução
Denny Zuca

preparo de originais
Ana Lúcia Prôa

revisão
Clara Diament
Sérgio Bellinello Soares

projeto gráfico e diagramação
Valéria Teixeira

capa
Miriam Lerner

fotolitos
RR Donnelley

impressão e acabamento
Bartira Gráfica e Editora S/A.

CIP-BRASIL. CATALOGAÇÃO-NA-FONTE
SINDICATO NACIONAL DOS EDITORES DE LIVROS, RJ

o91f Osho, 1931-1990
Faça o seu coração vibrar / Osho; tradução de Denny Zuca.
– Rio de Janeiro: Sextante, 2005.

Tradução de: Your answers questioned

ISBN 85-7542-159-x

1. Meditação. 2. Vida espiritual. 3. Conduta.
I. Título.

05-0255. CDD 299.93
CDU 299.11

Rua Voluntários da Pátria, 45 – Gr. 1.404 – Botafogo
22270-000 – Rio de Janeiro – RJ
Tel.: (21) 2286-9944 – Fax: (21) 2286-9244
E-mail: atendimento@esextante.com.br
www.sextante.com.br

Sumário

Introdução

Numa peça teatral escrita por Jane Wagner, a encantadora personagem Trudy informa à platéia que ela está, na companhia de seus amigos do espaço sideral, "em busca de vida inteligente no universo". Trudy é uma mendiga que questiona nossos pressupostos sobre o que é loucura e o que é sanidade, o que é verdadeiro e o que é apenas um hábito adquirido depois de anos tentando nos adaptar a um mundo cheio de falsidades. "Eu tenho o tipo de loucura da qual Sócrates fala", explica Trudy. "Uma libertação divina da alma do jugo do costume e da convenção."

Essa "libertação da alma do jugo do costume e da convenção" é precisamente o que este livro espera provocar nos leitores. Ou, se não lhe agrada o tom religioso da palavra "alma", você pode substituí-la por "a libertação da inteligência e da clareza que cada um de nós trouxe ao mundo ao nascer". Esse encantamento e essa espontaneidade são o que tornam as crianças tão belas e, quando faltam aos adultos, os fazem parecer tão tristes e melancólicos.

Uma história

Durante alguns anos, eu morei e trabalhei em Londres. Em minha primeira primavera em Londres, eu costumava caminhar todas as manhãs até a estação de trem, a caminho do trabalho. Passava por todos os jardins, em meio à exuberância de flores que desabrochavam na calçada depois da chuva. Todas as manhãs parecia que algo novo surgia em cada jardim.

Numa casa, minha passagem quase sempre coincidia com o que me parecia o horário de ir para o jardim de infância de uma mãe e sua filha pequena. O jardim da casa delas era particularmente bonito, e, margeando um dos lados, havia uma profusão de hortênsias. Pude observar, dia após dia, as flores se abrirem aos poucos e passarem do verde para um verde mais claro e daí para um sutil cor-de-rosa. Numa determinada manhã, depois de um raro dia cheio de sol na véspera, as hortênsias estavam no auge da cor. A transformação ocorrida durante a noite era de tirar o fôlego, e, no momento em que eu passava em frente à casa, ouvi a garotinha dizer: "Mamãe!! Mamãe, olhe!!!" Eu sabia que ela as vira também. A mãe disse devagar, enfatizando cada sílaba, como quem ensina a uma criança: "É, querida. São hor-tên-sias."

Durante o resto da minha caminhada até a estação de trem, esse curto diálogo ficou na minha cabeça. Será que a mente dessa garotinha associaria para sempre a palavra *hortênsia* aos momentos de admiração e beleza? Diante de seu primeiro pôr-do-sol estonteante na praia, dos primeiros sinais de romance em seu coração, será que ela diria "Isso é tão... tão *hortênsia*"? Eu não sabia se ria ou chorava. Isso já aconteceu a todos nós de tantas maneiras diferentes. Essa transformação da criança cheia de admiração para o adulto cheio de respostas, em geral para perguntas que sequer fizemos. Aprendemos a rotular as coisas, a compará-las e a separá-las em categorias – *hortênsia* –, para acrescentá-las ao jugo cada vez mais pesado das respostas e convenções costumeiras e para começar a coletar outras mais.

Não quero dizer com isso que as respostas às vezes não sejam úteis. Elas são. Mas quando deixamos que a pilha de respostas vá crescendo sem nunca questioná-las ao longo dos anos – das gerações e até mesmo dos séculos –, é claro que acabamos em meio a uma grande confusão.

Em sua busca por vida inteligente no universo, Trudy nos conta que descobriu que a mente humana se parece com uma *piñata*, aquele objeto de papel ou argila que as pessoas enchem de doces e presentes e penduram no teto nas festas mexicanas, os quais as crianças golpeiam com um bastão para esparramar o conteúdo no chão. "Quando você abre a *piñata*, descobre todo tipo de surpresa ali dentro", diz a personagem.

A premissa deste livro é a de que suas respostas formam a parte externa da sua própria *piñata* pessoal. E se você assumir o risco de quebrá-la – não para substituir as antigas por outras, mas para abrir espaço e deixar a brisa entrar –, pode descobrir, assim como Trudy, que "perder o juízo pode ser uma experiência maravilhosa"!

Carol Neiman

Você está pronto?

Quanto menos as pessoas sabem, mais elas teimam que sabem.

A pessoa inteligente hesita, pondera, vacila. A pouco inteligente nunca vacila, nunca hesita. Quando o sábio sussurra, o tolo simplesmente anuncia aos quatro ventos.

"A verdade" é só um jeito de falar. Não existe nada que tenha o rótulo de "verdade" e que um dia você descobrirá, abrirá a caixa e verá o conteúdo, dizendo: "Maravilha! Descobri a verdade!" Essa caixa não existe. Sua existência é a verdade e, quando você está silencioso, está na verdade. E se o silêncio for absoluto, então você é a verdade suprema.

Mas não pense na verdade como um objeto. Ela não está lá, está aqui.

Nunca existiu uma pessoa como você antes, não existe ninguém neste mundo como você agora e nem nunca existirá. Veja só o respeito que a vida tem por você. Você é uma obra de arte – impossível de repetir, incomparável, absolutamente única.

Cada dia traz seus próprios problemas e desafios. Cada momento traz suas próprias perguntas. E se você tem respostas prontas na cabeça, sequer será capaz de ouvir as perguntas. Estará tão cheio de respostas que será incapaz de ouvir. Você não estará acessível.

Muitos dos nossos problemas – talvez a maioria deles – existem porque nunca olhamos para eles de frente, nunca os enfrentamos. Ficar com medo deles, não olhar para eles e viver tentando evitá-los só serve para lhes dar mais força. Assim, você está aceitando que eles são reais. A sua aceitação é a existência deles. Sem a sua aceitação, eles não existiriam.

Pare de se julgar. Em vez disso, comece a se aceitar com todas as suas imperfeições, suas fragilidades, seus erros e seus fracassos. Não queira ser perfeito. Isso seria, simplesmente, querer o impossível e, assim, você ficaria frustrado. Afinal, você é um ser humano.

Não se preocupe com a perfeição. Substitua a palavra "perfeição" por "totalidade". Não pense que você tem que ser perfeito, pense que tem que ser total. A totalidade dá a você uma dimensão diferente.

Existe uma enorme diferença entre perfeição e totalidade. A perfeição é uma meta a atingir no futuro, a totalidade é uma experiência no aqui e agora. A totalidade não é uma meta, é um estilo de vida.

A maior calamidade que pode acontecer a uma pessoa é ela ficar séria e prática demais. Um pouquinho de loucura e de excentricidade só faz bem.

Coragem significa enfrentar o desconhecido apesar de todos os medos. Coragem não significa destemor. O destemor acontece se você continua sendo cada vez mais corajoso. Essa é a experiência suprema da coragem – o destemor. Essa é a fragrância do que acontece quando a coragem tornou-se absoluta.

Mas, a princípio, não existe muita diferença entre a pessoa covarde e a corajosa. A única diferença é que o covarde dá ouvidos aos seus medos e os segue, e o corajoso os deixa de lado e segue adiante. A pessoa de coragem enfrenta o desconhecido apesar de todos os medos.

A existência não é um problema que precisa ser solucionado, é um mistério a ser vivido. E você precisa estar perfeitamente consciente da diferença que existe entre um mistério e um problema.

O problema é algo criado pela mente. O mistério é algo que simplesmente existe, não foi criado pela mente. O problema tem algo de feio, como uma doença. O mistério é belíssimo. Com o problema, imediatamente surge a luta. Você tem que resolvê-lo. É algo errado, você tem que consertá-lo. Algo está faltando, você tem que providenciar o elo que falta. Com o mistério, nada disso é necessário.

A Lua aparece à noite... Isso não é um problema, é um mistério. Você tem que conviver com ele. Você tem que dançar com ele, tem que cantar com ele ou pode, simplesmente, ficar em silêncio com ele. Algo de misterioso envolve você.

Você continua sonhando, imaginando coisas bonitas para os dias que virão, para o futuro. E nos momentos em que o perigo é iminente, então percebe de repente que pode ser que não haja futuro algum, amanhã algum e que este é o único momento que tem. Os tempos de desastre são extremamente reveladores. Eles não trazem nada de novo para o mundo – simplesmente fazem com que você fique consciente do mundo como ele é. Eles o despertam. Se você não entender isso, pode enlouquecer. Se entender, pode ser que você desperte.

Aposte todas as suas fichas. Seja um apostador! Arrisque tudo, pois o momento seguinte não é uma certeza. Então, por que se importar com ele? Por que se preocupar? Viva perigosamente, viva com prazer. Viva sem medo, viva sem culpa. Viva sem nenhum medo do inferno ou sem ansiar o céu. Simplesmente viva.

A morte é segurança, a vida é insegurança. Aquele que quer realmente viver deve viver no perigo, em constante perigo. Aquele que quer chegar no cume tem que arriscar se perder. Aquele que quer escalar o pico mais alto tem que correr o risco de cair de algum lugar, de escorregar.

Saia da concha

Ser curioso é bom porque é assim que começa a jornada de questionamento da vida. Mas se você não for além dessa curiosidade, não haverá qualquer intensidade nisso. Talvez só pule de curiosidade em curiosidade como um barco à deriva, seguindo ao sabor das ondas, sem nunca ancorar em algum lugar.

A curiosidade é um bom ponto de partida, mas depois é preciso ficar mais passional. É preciso fazer da vida uma busca, não apenas uma curiosidade.

E o que eu quero dizer quando falo que é preciso fazer de sua vida uma busca? São muitas as perguntas, mas a busca é uma só. Quando uma pergunta se torna tão importante que você se dispõe a sacrificar a própria vida por ela, então ela é uma busca. Quando uma pergunta tem tamanha importância, tamanho significado que você pode arriscar e apostar tudo o que tem, então ela se torna uma busca.

A sociedade lhe ensina: "Opte pelo conveniente, pelo confortável. Opte pelo caminho batido no qual seus antepassados e os antepassados de seus antepassados, desde Adão e Eva, já caminhavam. Essa é a prova – tantos milhões de pessoas já o percorreram, não pode ser o caminho errado."

Mas lembre-se de uma coisa: a multidão nunca passou pela experiência da verdade. A verdade só aconteceu a indivíduos.

Sempre que houver alternativas, tenha cuidado. Não opte pelo conveniente, pelo confortável, pelo respeitável, pelo socialmente aceitável, pelo honroso. Opte pelo que faz o seu coração vibrar. Opte pelo que gostaria de fazer, apesar de todas as conseqüências.

Cometer erros não é errado – cometa todos os erros de que for capaz. É desse jeito que você aprenderá mais. Só não cometa o mesmo erro mais de uma vez: isso faz de você um tolo.

Você tem que se proteger de todas essas pessoas bem-intencionadas, que gostam de praticar o bem e que estão a todo instante aconselhando-o a fazer isso ou aquilo. Ouça o que elas têm a dizer e agradeça. Elas não têm a intenção de lhe causar mal, mas causam. Ouça apenas o seu próprio coração. Esse é o seu único professor. Na verdadeira jornada da vida, sua própria intuição é o único professor que você tem.

Existe algo de imensa importância sobre a verdade: a menos que você a encontre, ela nunca será verdade para você.

Se essa verdade é de outra pessoa e você a pega emprestada, no mesmo instante ela deixa de ser verdade – passa a ser uma mentira.

Seja o que for que esteja fazendo, pensando ou decidindo, lembre-se de perguntar uma coisa: isso está vindo de você ou se trata de outra pessoa falando? Você ficará surpreso ao descobrir a voz verdadeira. Talvez seja a de sua mãe – você a ouvirá falando outra vez. Talvez seja a de seu pai – não é muito difícil detectar. A voz permanece ali, viva na memória, como se você a estivesse ouvindo pela primeira vez – o conselho, a ordem, a disciplina, o mandamento.

Livre-se das vozes que existem dentro de você e logo ficará surpreso ao ouvir uma voz silenciosa que nunca escutara antes. Você não consegue identificar de quem seja essa voz. Não, não é de sua mãe, de seu pai, de seu pastor, nem de seu professor... De repente você a identifica: ela é a sua própria voz. É por isso que não consegue descobrir a identidade dela, a quem ela pertence.

Descubra a sua própria voz. Depois faça o que ela diz sem receio.

Aonde quer que ela o leve, é ali que está o objetivo da sua vida, é ali que está o seu destino. É só ali que você encontrará satisfação, contentamento.

Verdade ou conseqüências

Não pense nas conseqüências. Só os covardes pensam nas conseqüências.

Todo mundo lhe diz para ser comedido. Por quê? Se a vida é tão curta, por que ser comedido?

Salte o mais alto que puder. Dance com toda a sua energia.

Ser como todo mundo significa fazer parte de todo tipo de mentira que a sociedade chama de etiqueta, de boas maneiras. A razão é clara porque as pessoas falam sobre a verdade e ainda vivem em um mundo de mentiras. O coração delas anseia pela verdade. Elas têm vergonha de si mesmas por não serem verdadeiras, então falam sobre a verdade. Mas isso não passa de mera conversa. Viver de acordo com a verdade é perigoso demais – elas não podem se arriscar.

E o mesmo acontece com a liberdade. Da boca para fora, todo mundo quer liberdade, mas ninguém é livre de fato e ninguém quer realmente ser livre, porque a liberdade traz responsabilidade. Ela não vem sozinha.

A diferença entre ambição e anseio é que a ambição visa a um objetivo, o anseio visa à fonte. Ambição significa que existe algo a se conquistar "lá fora". Ela depende de um objetivo, existe um motivo. Por isso você pode ser racional no que diz respeito a ela. Pode calcular se vale a pena atingir esse objetivo ou não. Não é uma questão de sentimento, é algo que se calcula. Você tem que seguir em uma certa direção com cautela: o mundo é dos espertos, todo mundo está tentando atingir o mesmo objetivo e existe competição. Você tem que ser sagaz e inteligente, além de muito cauteloso. Tem que ser político, diplomático.

O anseio não tem um objetivo, mas tem uma fonte. O coração é a fonte.

Vincent van Gogh sempre pintava as árvores tão grandes que elas iam além das estrelas. As estrelas eram pequenas, o Sol e a Lua eram pequenos e as árvores eram imensas... Alguém perguntou a ele: "Você é maluco? Por que nunca pára de pintar árvores tão grandes? A estrela mais longínqua fica a milhões e milhões de anos-luz e as suas árvores sempre vão além das estrelas! Que maluquice é essa?"

E Van Gogh riu e disse: "Eu sei! Mas sei de outra coisa também, da qual você não se dá conta. As árvores são os anseios da terra para transcender as estrelas. Eu estou pintando os anseios, não as árvores. Estou mais preocupado com a fonte, não com o objetivo. É irrelevante se elas alcançam as estrelas ou não. Eu pertenço à terra, sou parte dela e compreendo o anseio da terra. Esse é o anseio da terra expresso através das árvores – ir além das estrelas."

E, por um anseio, tudo é possível. Nada é impossível porque a questão não é chegar a um lugar, mas apenas contemplar a fonte do próprio anseio.

Olhe bem dentro do seu coração. Ouça a voz calma dentro de você. E lembre-se de uma coisa: uma pessoa só se realiza na vida por meio dos anseios, nunca por meio das ambições.

A vida é basicamente insegura. Essa é a sua qualidade intrínseca. Nada pode mudar isso. A morte é segura, absolutamente segura. No momento em que você escolhe a segurança, sem saber está escolhendo a morte. No momento em que escolhe a vida, está escolhendo a insegurança.

Com a segurança, com o conhecido, você fica entediado. Começa a ficar entorpecido. Com a insegurança, com o desconhecido, com o inexplorado, você se sente extasiado, belo, criança novamente – mais uma vez aqueles olhos de admiração, mais uma vez aquele coração capaz de se maravilhar.

Quem tem medo da morte? Nunca cruzei com alguém que o tenha. Mas quase todo mundo com quem cruzei tem medo da vida.

Esqueça o medo da vida... Ou você tem medo ou você vive – a decisão é sua. E o que há para temer? Não há nada que possa perder. Você só tem a ganhar.

Esqueça todos os medos e mergulhe de cabeça na vida.

Só o passado não vivido é que se torna um fardo psicológico. Deixe-me repetir: o passado não vivido, aqueles momentos que você poderia ter vivido, mas não viveu. Os casos de amor que não existiram, que você deixou passar... Aquelas canções que não cantou, porque estava ocupado com alguma coisa boba... É o passado não vivido que se torna seu fardo psicológico e fica cada vez mais pesado a cada dia que passa.

É por isso que o idoso fica tão rabugento. Não é culpa dele. Ele não sabe por que é tão rabugento – por que tudo o deixa irritado, por que está sempre zangado, por que não pode deixar que os outros sejam felizes, por que não gosta de ver as crianças dançando, cantando, pulando, festejando. Por que ele quer que todo mundo fique quieto? O que há com ele?

Trata-se, simplesmente, de um fenômeno psicológico: toda a vida que ele não viveu. Quando ele vê uma criança dançar, sua criança interior sofre. Sua criança interior foi, de alguma forma, impedida de dançar – talvez pelos pais, pelos mais velhos, talvez por ele mesmo, porque era respeitável, honrado. Ele foi levado à presença dos vizinhos e apresentado: "Olhem que criança mais quieta, calma, silenciosa. Não atrapalha, não faz travessuras." O ego dele era massageado. De qualquer forma, ele saiu perdendo. Agora não suporta mais isso, não consegue tolerar essa criança. Na verdade, é a sua infância não vivida que começa a doer. Deixou uma ferida.

E quantas feridas você está carregando? Milhares de feridas ainda doem, pois quanta coisa você deixou de viver?

Seja a favor da vida. Vida é sinônimo de Deus. Você pode esquecer a palavra "Deus" – a vida é Deus. Viva com reverência, com grande respeito e gratidão. Você não conquistou esta vida: ela é um mero presente do além. Sinta-se grato e reverente. Abocanhe o máximo que puder, mastigue bem e digira tudo muito bem. E desfrute a vida de todas as maneiras possíveis – viva o bom e o ruim, o doce e o amargo, o escuro e o claro, o inverno e o verão. Viva todas as dualidades. Não tenha medo da experiência: quanto mais experiência você tiver, mais integrado ficará.

Quando você encontrar um amigo, encontre-o de fato. Sabe-se lá... Talvez nunca mais volte a encontrá-lo. Então vai se arrepender. E, assim, esse passado insatisfeito vai assombrá-lo, cobrando aquilo que você queria ter dito e não disse. Existem pessoas que querem dizer "eu te amo" a alguém, esperam anos por isso e acabam não dizendo. E a outra pessoa pode um dia morrer e elas vão chorar e se lamentar: "Eu queria ter dito a ela que a amava, mas não disse."

Sempre que tiver um sonho, anote-o. Esse sonho mostra o que você está deixando de viver na realidade. O homem que vive na realidade faz com que seus sonhos comecem a desaparecer. Não existe nada para ele sonhar. Na hora em que vai dormir, ele põe fim ao trabalho do dia. Ele se desliga. Não sobra nada para levar para os sonhos.

O medo da morte não é o medo da morte, é o medo de não se sentir realizado. Você vai morrer e descobrir que não experimentou nada, absolutamente nada, ao longo da vida – nenhuma maturidade, nenhum crescimento, nenhum desabrochar.

Você chegou de mãos vazias e está partindo de mãos vazias. Esse é o medo.

As regras da maioria

Evite esses hipócritas que decidem por você. Tome as rédeas nas suas mãos. Você tem que decidir. Na verdade, é nesse próprio ato de decisão que a sua alma nasce. Quando os outros decidem por você, sua alma continua adormecida e obtusa. Quando você começa a decidir por si próprio, passa a ter perspicácia.

A verdade não é democrática. Não é através de votos que se decide o que é verdadeiro. Caso contrário, nunca chegaríamos a verdade alguma. As pessoas votarão pelo que é mais confortável – e as mentiras são muito confortáveis, porque você não tem que fazer nada em relação a elas, só acreditar. A verdade exige grande esforço, descoberta, risco. E é preciso que você trilhe sozinho um caminho que ninguém percorreu antes.

A maioria se compõe de idiotas, completos idiotas. Cuidado com a maioria. Se tantas pessoas estão seguindo alguma coisa, isso já é prova suficiente de que ela está errada. A verdade acontece a indivíduos, não a multidões.

O homem nasce como uma semente: ele pode se tornar uma flor ou não. Tudo depende de você, do que faz consigo mesmo. Tudo depende do fato de crescer ou não. A escolha é sua – e essa escolha tem que ser feita a todo momento. A todo momento você se encontra em uma encruzilhada.

Sempre que você explora seu potencial, se torna o melhor. Sempre que se desvia dele, continua medíocre. Toda a sociedade se compõe de pessoas medíocres por uma simples razão: ninguém é o que se destinava a ser – é alguma coisa diferente.

Sua mente está sempre perguntando: "Por quê? Para quê?" E qualquer coisa que não tenha resposta para a pergunta "para quê" aos poucos passa a não ter valor para você. É assim que o amor passou a não ter valor. Para que serve o amor? Aonde ele leva você? O que se pode conseguir com ele? Ele vai levá-lo a algum tipo de utopia, a algum paraíso?

É claro que, pensando assim, o amor não tem qualquer sentido. Ele é sem sentido.

Qual é o sentido da beleza? Você contempla o pôr-do-sol e fica maravilhado. É tão lindo... Mas um idiota qualquer pode vir e perguntar: "Qual o sentido disso tudo?" E você fica sem resposta. Se não existe sentido algum, então por que fazer tanto alarde sobre a beleza?

Uma flor, um quadro, uma música ou uma poesia bonita – eles não têm qualquer sentido. Não são argumentos para se provar nada nem são meios para se atingir um fim. E viver consiste somente nessas coisas que não têm sentido algum.

Deixe-me repetir: viver consiste somente nessas coisas que não têm absolutamente sentido, que não têm significado algum – significado no sentido de não ter objetivo, de não levar você a lugar algum, de não o fazer ganhar nada com elas.

Em outras palavras, viver é significativo por si mesmo.

Esqueça essa história de querer entender tudo. Em vez disso, viva. Em vez disso, divirta-se! Não analise, celebre!

Tudo o que você vê foi inventado por pessoas espirituosas, não por pessoas sérias. As pessoas sérias vivem voltadas para o passado – elas não param de repetir o passado porque sabem que ele funciona. Elas nunca são inventivas.

"Mente contemporânea" é, de certa forma, uma contradição.

A mente nunca é contemporânea. Ela é sempre antiga. Mente é passado e nada mais. Mente significa memória. Nenhuma mente contemporânea pode existir. Ser contemporâneo é ser desprovido de mente.

Apenas olhe, observe. O que é a sua mente? O que se quer dizer com a palavra "mente"? No que ela consiste exatamente?

Todas as suas experiências, os seus conhecimentos e o passado acumulados – essa é a sua mente. Você pode ter uma mente materialista, pode ter uma mente espiritualista, isso não importa nem um pouco. Mente é mente. A mente espiritual não é menos mente do que a mente materialista. E nós temos que ir além da mente.

De Aristóteles a Wittgenstein, milhares de pessoas brilhantes desperdiçaram todo o seu brilho pela simples razão de que tentaram solucionar apenas problemas em vez de se voltarem para a própria raiz de todos eles. A mente é o único problema.

A mente só conhece o conflito. Mesmo quando não há conflito, a mente cria um. Mesmo quando não existe qualquer problema, a mente cria um.

A mente não pode existir sem problemas: ela se nutre de problemas. Conflito, luta, desarmonia – e a mente está perfeitamente à vontade e ambientada. Silêncio, harmonia – e a mente começa a ficar com medo, porque harmonia, silêncio e paz são nada mais do que a morte para a mente.

A mente é um robô. O robô tem sua utilidade, e é desse jeito que a mente funciona. Você aprende algo. Quando aprende, de início fica consciente. Por exemplo, quando aprende a dirigir um carro, fica bem alerta, porque sua vida está em perigo. Tem que tomar cuidado com muitas coisas: o volante, a rua, os pedestres, o acelerador, o freio, a embreagem. Tem que prestar atenção em tudo. Há tantas coisas a lembrar que você fica nervoso. É perigoso cometer um erro, por isso você precisa manter a atenção. Mas, no momento em que aprende a dirigir, essa atenção já não é mais necessária. Então a parte robotizada da mente entra em ação.

Isso é o que eu chamo de aprender. Aprender significa que algo está sendo transferido da consciência para o robô. É disso que se trata o ato de aprender. Depois que você aprendeu uma coisa, ela deixa de fazer parte da mente consciente e é enviada para o inconsciente. Agora o inconsciente pode fazê-la. Agora a consciência está livre para aprender outra coisa.

Isso é, por si só, extremamente significativo. Do contrário você ficaria aprendendo uma única coisa a vida inteira.

A mente é uma ótima serva, um ótimo computador. Use-a, mas lembre-se de que ela não pode dominar você. Lembre-se de que tem que continuar sendo capaz de ficar consciente, de que ela não pode tomar posse de você totalmente, de que ela não pode se tornar tudo, de que a porta precisa ser deixada aberta para que você possa sair do robô.

Não rejeite a mente – entenda-a. Quando entende algo, você vai além disso – isso fica abaixo de você. A mente tem sua utilidade – uma grande utilidade. Não existiriam qualquer ciência sem a mente, qualquer tecnologia. Todos os confortos do ser humano desapareceriam sem a mente humana. O homem regrediria para o mundo dos animais ou até para um mundo ainda mais inferior. A mente nos deu muito.

O problema não é a mente. O problema é a sua identificação com ela. Você acha que você é a mente – aí está o problema.

Pare de se identificar com a mente. Seja o observador e deixe-a funcionar – sob sua vigilância, seu testemunho, sua observação. Uma diferença radical ocorre por meio da observação. A mente funciona com muito mais eficácia quando você a observa, porque todo o lixo é descartado e ela não precisa carregar um peso desnecessário – fica leve. E quando você se torna um observador, a mente também pode ter algum descanso. Do contrário, durante toda a vida a mente trabalha, dia após dia, ano após ano. Ela só pára quando você morre. Isso cria uma fadiga profunda, uma fadiga mental.

Agora os cientistas estão dizendo que até os metais se cansam – existe a chamada "fadiga do metal". Então o que dizer da mente, que é extremamente sutil, que é tão delicada? Trate-a com cuidado. Mas continue à distância, indiferente, desapegado. Quando escreve, você não se torna a caneta, embora não possa escrever sem ela. Uma boa caneta é essencial para uma boa escrita. Se você começar a escrever com os dedos, ninguém entenderá o que escreveu, nem mesmo você, e será muito primitivo. Mas você não é a caneta e a caneta não é o escritor, é só um instrumento para escrever.

A mente não é o mestre, mas só um instrumento nas mãos do mestre.

Treinar a mente para a concentração é muito difícil: ela se revolta e continua a recair em antigos hábitos. Você a segura novamente e ela escapa. Você a leva para o assunto no qual estava concentrado e, de repente, descobre que ela está pensando em outra coisa – já até esqueceu em que estava concentrado. Não é uma tarefa fácil.

Mas colocá-la de lado é algo extremamente fácil – não é nada complicado. Tudo o que você tem que fazer é observar. Seja o que for que esteja passando na sua cabeça, não interfira, não tente detê-la. Não faça nada: qualquer coisa que fizer vai virar uma disciplina.

Então não faça absolutamente nada. Só observe.

O que há de mais estranho sobre a mente é que, se você se tornar um observador, ela começa a desaparecer. Assim como a luz dispersa a escuridão, a atenção plena dispersa a mente, seus pensamentos, toda a sua parafernália.

Intelecto é pensamento. A consciência é descoberta em um estado de não-pensamento: no silêncio total em que nenhum único pensamento causa perturbação. Nesse silêncio você descobre seu próprio ser – ele é tão vasto quanto o céu. E conhecê-lo é entrar em contato com algo que realmente vale a pena. De outra maneira, todo o seu conhecimento é lixo. Seu conhecimento pode ser útil, mas não vai ajudá-lo a transformar o seu ser. Ele não pode lhe trazer satisfação, contentamento, iluminação, a ponto de você poder dizer: "Estou em casa."

Seus pensamentos não são você. Existe um tráfego constante. Na sua tela mental, tantos pensamentos estão passando, mas você não é um deles. Você é a testemunha, está de fora. Está vendo esses pensamentos passarem.

Nada que possa ver pode ser você. Esse deve ser o critério: nada que testemunhe pode ser você. Você é a testemunha.

AMANDO

A cabeça diz: "Pense antes de saltar." E o coração diz: "Salte antes de pensar." Esses dois caminhos são diametralmente opostos. Amar é saltar numa situação perigosamente viva, sem calcular nada de antemão.

Cada pessoa é um mistério tão infinito, inextinguível, inescrutável, que não é possível que um dia você diga: "Eu conheço essa mulher" ou "Eu conheço esse homem". O máximo que você pode dizer é: "Eu dei o melhor de mim, mas o mistério continua um mistério." Na verdade, quanto mais você conhece, mais misterioso o outro fica. É por isso que o amor é uma constante aventura.

Como é possível conhecer o outro? Você pode amar e, através do amor, esse milagre acontece. Se amar o outro, uma grande compreensão surge naturalmente. Não que tente compreender o outro: você simplesmente ama o outro como ele é, sem julgamentos.

O amor de verdade não é uma fuga da solidão, o amor de verdade é uma solitude abundante. A pessoa está tão feliz em ficar sozinha que tem vontade de compartilhar. A felicidade sempre quer compartilhar. Ela é excessiva, não pode se conter, como a flor não pode conter sua fragrância – ela tem que se espalhar pelo ar.

Solidão é quando você está sentindo falta do outro. Solitude é quando você está encontrando a si mesmo.

O amor é um subproduto da liberdade. É a alegria transbordante da liberdade, é a fragrância da liberdade. Primeiro é preciso que haja a liberdade para que depois haja o amor.

A mente é boa quando se trata de dinheiro, de guerra e de ambição, mas a mente é absolutamente inútil quando se trata de amor. Dinheiro, guerra, desejo, ambições – você não pode pôr o amor nessa mesma categoria. O amor vem de uma outra fonte do seu ser.

Os problemas do ciúme e da possessividade não são de fato problemas, mas sintomas – sintomas de que você ainda não sabe o que é amor. Achamos que sabemos o que é amor e por isso surge o problema do ciúme. Não é isso. O problema surge porque não existe amor. Ele mostra que o amor ainda não brotou, mostra simplesmente a falta de amor. Por isso você não pode solucioná-lo.

Tudo o que é necessário é esquecer o ciúme, porque essa é uma luta negativa, é uma luta com a escuridão. Não faz sentido. Em vez disso, acenda uma vela. Isso é que é amor. Depois que o amor começa a fluir, o ciúme e a possessividade deixam de existir. Você fica simplesmente surpreso ao ver que eles se foram. Você não consegue mais encontrá-los. É exatamente como quando acende uma vela e, ao procurar pela escuridão por todo o cômodo, descobre que não pode mais encontrá-los. Você os procura até com uma luz, mas não consegue encontrá-los. Não pode encontrá-los porque não estão mais ali. Eram, simplesmente, a falta de luz. O ciúme é a falta de amor.

O amor é o único mandamento. Se não houver amor, nem mesmo os Dez Mandamentos ajudarão em alguma coisa. Os Dez Mandamentos não são necessários – eles só são necessários porque você não está pronto para cumprir o primeiro e único mandamento. Eles são apenas substitutos fracos para o único mandamento: o amor.

Antes que você possa se relacionar com alguém, relacione-se consigo mesmo. Esse é o requisito básico para se sentir realizado. Sem ele, nada é possível. Com ele, nada é impossível.

Milhões de pessoas estão sofrendo. Elas querem ser amadas, mas não sabem amar. E o amor não pode existir como monólogo: o amor é um diálogo, um diálogo muito harmonioso.

Deixe de lado a idéia de que você é um homem ou uma mulher. Somos todos seres humanos. Ser um homem ou uma mulher é uma coisa muito superficial. Não faça tanto estardalhaço por causa disso. Não é nada muito importante. Não faça disso grande coisa.

Viva e ame. E ame total e intensamente – mas sem nunca ir contra a liberdade. A liberdade deve continuar sendo um valor supremo.

De todo o coração

O coração ainda é primitivo. E é bom que as universidades ainda não tenham encontrado um jeito de ensinar ao coração e torná-lo civilizado. Essa é a única esperança que a humanidade tem de sobreviver.

Não condene a sensualidade. Ela tem sido condenada pelo mundo inteiro, e, por causa disso, a energia que poderia florescer em sensualidade se transforma em perversões, ciúme, raiva, ódio – um tipo de vida ressequido, sem nenhuma seiva.

A sensualidade é uma das maiores bênçãos que a humanidade recebeu. É a sua sensibilidade, a sua consciência. É a sua consciência filtrando através do corpo.

A mente não está separada do corpo – ela é a parte interna do corpo. Você está separado tanto do corpo quanto da mente, de ambos. Você é uma entidade transcendental. É uma testemunha da mente e do corpo, dos dois. Mas a mente e o corpo são a mesma energia. O corpo é a mente visível e a mente é o corpo invisível. O corpo é a mente exterior e a mente é o corpo interior.

O sexo é um desejo natural e é bom quando está em seu devido lugar. Mas a pessoa não deve parar por aí: o sexo é só um começo, um vislumbre – um vislumbre do além. No orgasmo profundo, você fica consciente, pela primeira vez, de algo que não é do ego, de algo que não é da mente, de algo que não é do tempo. No orgasmo profundo, mente, tempo, tudo desaparece. O mundo todo pára por um instante. Por um momento, você deixa de fazer parte do mundo material. Você é só puro espaço.

Mas isso é apenas um vislumbre – siga adiante. Procure e encontre meios e maneiras de fazer com que esse vislumbre passe a ser o próprio estado em que você vive. Isso é o que eu chamo de realização, iluminação. A pessoa iluminada vive em um estado de prazer orgásmico 24 horas por dia.

O orgasmo é a indicação natural de que você contém dentro de si uma quantidade imensa de bem-aventurança. Ele simplesmente dá a você o gostinho dela – daí você pode sair em busca.

O sexo gera ciúme, mas isso é algo secundário. Portanto, não é uma questão de como deixar de ter ciúme – você não pode deixar de ter ciúme porque não pode deixar de ter sexo. A questão é como transformar o sexo em amor. Só assim o ciúme deixa de existir.

Se você ama uma pessoa, o próprio amor é garantia suficiente. O próprio amor traz segurança suficiente.

Se você ama uma pessoa, sabe que ela não pode ir embora com ninguém mais. E se ela for, tudo bem. Não há nada a fazer. O que você pode fazer? Pode matá-la, mas uma pessoa morta não será de muita utilidade.

Quando você ama uma pessoa, confia que ela não irá embora com mais ninguém. Se ela for, é porque não existe amor e nada pode ser feito a respeito. O amor propicia esse entendimento. Não existe ciúme.

Então, se existe ciúme, esteja certo de que não existe amor. Você está fazendo um jogo, está escondendo o sexo por trás do amor. Nesse caso, o amor é meramente uma palavra vã, e a realidade é o sexo.

O ciúme é uma das áreas predominantes da ignorância psicológica – sobre si mesmo, sobre os outros e, principalmente, sobre os relacionamentos. As pessoas acham que sabem o que é o amor – elas não sabem. E essa incompreensão sobre o amor cria o ciúme.

As pessoas acham que amor é uma espécie de monopólio, de possessividade – sem entender um fato simples da vida: no momento em que você possui um ser vivo, você o mata.

A vida não pode ser possuída. Você não pode segurá-la nas mãos. Se quiser tê-la, você terá que deixar as mãos abertas.

O que faz você ter ciúme? O ciúme em si não é a raiz.

Você ama uma mulher, você ama um homem. Você quer possuir essa pessoa só porque tem medo de que, amanhã, ela talvez possa ir embora com outra pessoa. O medo do amanhã destrói seu dia de hoje, e esse é um círculo vicioso.

Se cada dia que passa é destruído por causa do medo do amanhã, mais cedo ou mais tarde o homem vai começar a buscar outra mulher, a mulher vai começar a buscar outro homem, porque você é, simplesmente, um chato de galocha.

E quando ele começa a buscar outra mulher ou ela começa a sair com outro homem, você acha que tinha razão em ter ciúme. Na verdade, foi o seu ciúme que provocou isso tudo.

Ciúme é comparação. E fomos ensinados a comparar, condicionados a comparar, a sempre comparar. Alguém tem uma casa melhor, um corpo mais bonito, mais dinheiro, uma personalidade mais carismática. Compare, continue se comparando com todo mundo que cruza seu caminho e isso resultará em um grande ciúme. O ciúme é a conseqüência do condicionamento para se comparar.

Se, pelo contrário, você parar de se comparar, o ciúme desaparece. Você passa simplesmente a saber que você é você e ninguém mais, e nada mais é necessário.

Não se incomode com o amanhã: o hoje é suficiente. Alguém ama você... Deixe que este seja um dia de alegria, um dia de celebração. Deixe-se ficar hoje tão totalmente no amor que sua totalidade e seu amor serão suficientes para que a outra pessoa não se afaste de você. Seu ciúme a afastará de você. Só o amor pode fazer com que ela fique ao seu lado. Seu ciúme a afastará. Seu amor pode mantê-la com você.

Não pense no amanhã. No momento em que você pensa no amanhã, sua vida de hoje fica meio desanimada. Contente-se em viver o hoje e deixe que o amanhã se resolva por si mesmo – ele tomará seu próprio curso. E lembre-se de uma coisa: se o seu dia de hoje for uma bela experiência, uma bênção, desse hoje brotará o amanhã. Então, para que se preocupar?

Em casa

Não existe nenhum lar, a menos que encontremos um dentro de nós mesmos.

Você vem para este mundo exatamente como um livro não-escrito, cheio de páginas em branco.

Você tem que escrever o seu destino. Não há ninguém que esteja escrevendo o seu destino. E quem escreveria? E como? E para quê?

Você vem para este mundo apenas como uma potencialidade em aberto – uma potencialidade multidimensional.

Você tem que escrever o seu destino, tem que criar o seu destino. Você tem que se tornar você mesmo.

Você não nasceu com um "eu" pronto. Você nasceu apenas como uma semente – e também pode morrer assim como uma semente, mas também pode se tornar uma flor, pode se tornar uma árvore.

A vida se compõe de pequenas coisas. Então, se você passar a se interessar pelas chamadas grandes coisas, estará deixando a vida escapar.

A vida consiste em bebericar uma xícara de chá, fofocar com os amigos, sair pela manhã para fazer uma caminhada – sem qualquer destino em particular, só para caminhar, sem rumo, sem finalidade, podendo a qualquer instante dar meia-volta –, cozinhar para alguém que você ama, cozinhar para si mesmo – porque você ama seu corpo também –, lavar suas roupas, limpar o chão, regar o jardim... Essas coisas pequenas, bem pequenas... Dizer olá a um estranho, o que não seria absolutamente necessário, já que não há qualquer interesse sobre ele.

A pessoa que pode dizer olá a um estranho também pode dizer olá a uma flor, também pode dizer olá a uma árvore, também pode cantar uma canção para os passarinhos.

As pessoas o julgaram e você aceitou a opinião delas, sem questioná-las. Você está sofrendo por causa de todos os tipos de julgamento alheios e está despejando esses julgamentos sobre outras pessoas. Esse jogo passou dos limites, e toda a humanidade sofre em decorrência dele. Se você quiser se livrar dele, a primeira coisa é: não julgue a si mesmo. Aceite humildemente suas imperfeições, suas falhas, seus erros, suas fraquezas. Seja simplesmente você mesmo. Não é preciso fingir que você é de outro jeito.

Depois que se aceitar, você será capaz de aceitar os outros porque terá mais consciência de que eles estão sofrendo da mesma doença. E a sua aceitação os ajudará a aceitar a si mesmos. Se toda a humanidade chegar ao ponto em que todo mundo é aceito como é, quase noventa por cento do sofrimento simplesmente desaparecerá.

Arranhe um pouco e, em seu santo, você descobrirá um pecador.

Se você praticar uma virtude, ela deixará de ser uma virtude. A virtude praticada é uma coisa morta, um peso morto. A virtude é uma virtude só quando é espontânea. A virtude é uma virtude só quando é natural, não praticada – quando ela é resultado da sua maneira de ver as coisas, da sua consciência, da sua compreensão.

Normalmente, a religião é considerada uma prática. Ela não é. Esse é um dos mal-entendidos básicos sobre religião. Você pode praticar a não-violência e continuar sendo violento, porque sua visão não mudou. Você ainda olha para as coisas da mesma forma. Uma pessoa gananciosa pode praticar a generosidade, mas a ganância continuará sendo a mesma. Até a generosidade será corrompida por essa ganância, porque não se pode praticar nada que não se entenda, que esteja além da capacidade de compreensão de cada um. Você não pode se forçar a seguir princípios sem que esses princípios sejam fruto da sua própria experiência.

A única responsabilidade autêntica é em relação ao seu próprio potencial, à sua própria inteligência e consciência – e agir de acordo com eles. Os valores não podem ser impostos a você. Eles têm que ser cultivados com a sua consciência, dentro de você.

Existem duas palavras a serem lembradas: uma é reação, a outra é resposta. A maioria das pessoas reage, não responde. A reação vem da memória, das experiências passadas, do conhecimento. Ela é sempre inadequada em uma situação nova, diferente. E a existência é sempre diferente.

Portanto, se você age de acordo com o seu passado, isso é uma reação. Mas essa reação não vai mudar a situação, não vai mudar você. Ela levará a nada.

A resposta muda a cada momento. Ela não tem nada a ver com o passado, tem a ver com a consciência. Você vê a situação com clareza – está lúcido, silencioso, sereno. Essa serenidade faz com que você aja com espontaneidade. Não se trata de uma *re-ação*, trata-se de ação. Você nunca fez isso antes. E a beleza da resposta é que ela se ajusta à situação.

A maior obsessão que a humanidade sofre é a do "tem que ser". É um tipo de loucura. A pessoa realmente saudável não se preocupa com o que tem que ser. Ela só está interessada no imediato, no que é. E você ficaria surpreso: se entrar no imediato, encontrará ali o definitivo. Se se voltar para o que está perto, encontrará ali todas as estrelas distantes. Se entrar no momento presente, toda a eternidade estará em suas mãos.

A pessoa verdadeiramente livre do ego não é humilde em absoluto. Ela não é nem arrogante nem humilde – é simplesmente ela mesma.

Tenha um objetivo e, mais cedo ou mais tarde, você acabará no divã de um psicanalista. Minha visão é a de uma vida sem objetivos. Essa é a visão de todos os budas. Tudo simplesmente é, por nenhuma razão em absoluto. Tudo é simplesmente um completo absurdo. Se isso for entendido, então qual é a pressa? E pressa para quê?

O homem é o único animal imperfeito. Os cães não são imperfeitos – todo cão é perfeito. Os gatos, as árvores e as rochas não são imperfeitos. Em toda esta vasta existência, o homem é o único animal que é imperfeito. E é exatamente aí que está sua glória, porque na imperfeição existe crescimento, abertura, evolução. Quando você é perfeito, não há mais lugar algum para ir. A perfeição será um suicídio para a humanidade.

Simplesmente pense: o que você fará quando for perfeito? Em primeiro lugar, isso não pode acontecer. Em segundo lugar, se acontecer, o que você fará então? O perfeccionista ficará perdido, absolutamente perdido, porque ele só conhece um jeito de viver, que consiste em continuar se aperfeiçoando.

Todo mundo está usando máscaras com um sorriso, uma aparência feliz, e todo mundo está enganando a todos.

Você usa uma máscara e os outros pensam que você é mais feliz do que eles – e você acha que os outros são mais felizes do que você. A grama parece mais verde do outro lado da cerca. Eles vêem a sua grama e ela parece mais verde. Ela *realmente* parece mais verde, mais espessa, melhor. Essa é a ilusão que a distância cria.

Seja apenas você mesmo e, assim, não haverá mais sofrimento, nem competição, nem preocupação de que os outros tenham mais ou de que você não tenha o suficiente. Se você quer que a grama seja mais verde, não precisa ficar olhando para o outro lado da cerca: faça com que a grama seja mais verde do seu lado da cerca! É uma coisa tão simples...

Se você realmente quer desfrutar a vida em toda a sua riqueza, tem que aprender a ser incoerente, a ser coerentemente incoerente. Ser capaz de ir de um extremo ao outro – às vezes profundamente enraizado na terra e às vezes voando alto no céu. Às vezes fazendo amor e às vezes meditando. E então, aos poucos, o seu céu e a sua terra ficarão cada vez mais próximos e você se tornará o horizonte em que eles se encontram.

Você vê pessoas que sofrem porque sempre fizeram concessões e não conseguem se perdoar por isso. Elas sabem que poderiam ter sido mais ousadas, mas provaram ser covardes. Elas falharam para si próprias, perderam o respeito por si mesmas. Essa é a conseqüência das concessões.

Por que alguém deveria fazer concessões? O que temos a perder? Nessa vida tão curta, viva o mais intensamente possível. Não tenha medo de ir aos extremos. Você não pode ser menos do que total – essa é a última fronteira. E não faça concessões. Concessão é uma das palavras mais feias. Ela significa: "Eu dou metade e você dá metade; eu aceito metade e você aceita metade." Mas por quê? Se você pode ter tudo, se pode ter a faca e o queijo na mão, por que fazer concessões?

Os hábitos podem ser abandonados sem que você precise lutar contra eles. É isso o que as pessoas costumam fazer. Se elas querem mudar um hábito, criam outro hábito contrário para combater aquele. Passam de um hábito para outro. Se você quer parar de fumar, começa a mascar chicletes – esse hábito é tão descabido quanto fumar. Você troca um hábito por outro, mas continua sendo a mesma pessoa inconsciente.

Abandonar um hábito e não tentar compensá-lo, continuando completamente consciente e alerta, sem começar a procurar algo que o substitua, é uma das coisas mais difíceis que existem na vida. Mas não é impossível.

A vida de verdade tem que ser vivida sem hábitos. Você já ouviu isto, já lhe disseram muitas e muitas vezes: "Livre-se dos maus hábitos." Eu lhe digo: livre-se de todos os hábitos! Não existem hábitos bons e hábitos ruins – todos são ruins. Mantenha-se sem hábitos, viva sem hábitos. Assim você vive cada momento em liberdade.

Quando tiver um pequeno vislumbre de que é você quem cria seu próprio sofrimento, será muito difícil continuar a criá-lo. É fácil viver em sofrimento quando você sabe que são os outros que o provocam. O que pode fazer? Você é impotente... É por isso que continuamos jogando as responsabilidades nas costas dos outros.

A mente comum sempre joga as responsabilidades nos outros. É sempre o outro quem faz você sofrer. Sua mulher, seu marido, seus pais ou seus filhos estão fazendo você sofrer. Ou a estrutura financeira da sociedade, o capitalismo, o comunismo, o fascismo, a ideologia política predominante, a estrutura social... Ou o destino, o carma, Deus... Você dá o nome que quiser.

As pessoas têm milhões de maneiras de se esquivar da responsabilidade. Mas, no momento em que diz que outra pessoa o está fazendo sofrer, você não pode fazer nada para mudar a situação.

Desculpas, desculpas e mais desculpas só impedem uma única constatação: a de que "eu sou responsável por mim mesmo". Ninguém mais é responsável por mim. Isso é uma responsabilidade absolutamente minha. Seja eu quem for, sou a minha própria criação.

Não culpe os outros. Sejam eles quem forem, não importa. Na verdade, toda malandragem e trapaça deste mundo servem para deixá-lo consciente. Se este mundo não o ajudasse a ficar consciente, então que mundo seria capaz de um dia fazer de você uma pessoa perceptiva, cautelosa? Este é um mundo bom – ele lhe proporciona um tremendo desafio para ser cauteloso.

Adão e Eva

Não precisamos de um ser humano melhor, precisamos de um novo ser humano. As melhorias acontecem há séculos e nada mudou. Agora não precisamos de uma humanidade melhor – já chega! Agora queremos uma humanidade totalmente nova, sem ligações com o passado. Queremos começar de novo, como se fôssemos Adão e Eva, recém-expulsos do Jardim do Éden.

Como viver por mais tempo? Como conquistar uma espécie de imortalidade? As pessoas tentam conseguir isso de muitas maneiras. Ter filhos é uma delas, por isso a urgência constante em ter filhos. A raiz desse desejo de ter filhos não tem nada a ver com os filhos em si, tem a ver com a morte. Você sabe que não poderá ficar aqui para sempre. Não importa o quanto tente, você não vai conseguir. Sabe disso porque milhões não conseguiram e ninguém jamais foi bem-sucedido. Você alimenta uma esperança vã. Portanto, encontre outra maneira. Uma das mais simples, a mais antiga delas, é ter filhos. Você não ficará aqui para sempre, mas algo de você, uma partícula sua, uma célula sua, continuará vivendo. Trata-se de uma maneira indireta de se tornar imortal.

A função dos pais não é ajudar os filhos a crescerem – eles crescerão sem você. A função deles é apoiar, nutrir, ajudar o que já está crescendo. Não indique direções e não dê idéias. Não fale a eles o que é certo e o que é errado – deixe-os descobrir isso através da própria experiência.

As crianças são tão inteligentes! Sim, elas precisam de orientação e precisam da sua ajuda – elas são indefesas, mas também são extremamente inteligentes. Por isso os pais têm que ficar muito alertas para saber até onde ajudar e onde parar de ajudar. É bom segurar na mão do seu filho quando ele está aprendendo a andar, mas não continue segurando a mão dele a vida inteira.

Os mistérios da existência só são desvendados para a criança inteligente. E a pessoa realmente inteligente continua sendo criança até seu último suspiro. Ela nunca perde isso – a admiração da criança ao olhar os pássaros, ao olhar as flores, ao olhar o céu. A inteligência também tem que ser, da mesma forma, pueril.

Jesus está certo ao dizer: "A menos que nasça novamente, você não verá o reino de Deus." O que ele chama de "Deus" eu chamo de "existência". Mas a afirmação é verdadeira. "Nascer novamente" significa ser criança novamente.

Mas quando uma pessoa madura vira criança novamente, existe uma diferença entre a criança comum e alguém que renasceu. A criança comum é inocente porque é ignorante. Já a inocência resgatada é o mais importante valor da vida porque não é ignorância. É pura inteligência.

Inteligência é a capacidade inata de ver, de perceber. Toda criança nasce inteligente e depois vai ficando burra por obra da sociedade. Nós a ensinamos a ser burra e, mais cedo ou mais tarde, ela recebe o diploma de burrice.

Inteligência é um fenômeno natural – assim como a respiração e a visão. A inteligência é a visão interior. Ela é intuitiva, não tem nada a ver com intelecto. Lembre-se: nunca confunda intelecto com inteligência. Eles são pólos opostos. O intelecto é a cabeça: é ensinado pelos outros, é imposto a você. Você tem que cultivá-lo. É emprestado, é algo exterior, não é inato.

Mas a inteligência é inata. Trata-se do seu próprio ser, da sua própria natureza. Todos os animais são inteligentes. Eles não são intelectuais, é verdade, mas todos são inteligentes. As árvores são inteligentes, toda a existência é inteligente e toda criança que vem ao mundo nasce inteligente. Você já encontrou alguma criança burra? É impossível! Mas encontrar um adulto inteligente é muito raro – alguma coisa dá errado no caminho.

Depois que você ouviu uma verdade, é impossível esquecê-la. Essa é uma das qualidades da verdade: você não precisa se lembrar dela. A mentira é algo do qual você tem que se lembrar continuamente – há o risco de você esquecê-la. A pessoa habituada a mentiras precisa ter uma memória melhor do que aquela habituada à verdade. A pessoa verdadeira não precisa de memória. Se você só disser a verdade, não há a necessidade de se lembrar.

Mas se você disser uma mentira, então vai precisar se lembrar continuamente, porque terá que dizer uma mentira a uma pessoa, outra mentira a outra pessoa, uma coisa diferente a uma terceira. Você precisará guardar na memória e lembrar do que disse e para quem disse. E, sempre que se levantar uma questão sobre uma mentira, você precisará mentir novamente – acaba tendo que criar uma série delas. A mentira não acredita em controle da natalidade.

Verdade é celibato: ela nunca tem filhos!

Sempre que alguém transmite mandamentos, cria dificuldades para as pessoas, porque na época em que são transmitidos eles já estão ultrapassados. A vida passa muito rapidamente: ela é dinâmica, não é estática. Não é um poço de águas estagnadas, é um Ganges, está sempre fluindo. Nunca é a mesma por dois momentos consecutivos. Portanto, uma coisa pode estar certa agora e pode não estar daqui a pouco. O que fazer, então? A única saída é ajudar as pessoas a ficarem tão conscientes a ponto de elas mesmas poderem decidir como responder a uma vida em constante mudança.

A regra de ouro da vida é que não existem regras de ouro.

Não podem existir. A vida é tão vasta, tão imensa, tão estranha, misteriosa... Ela não pode ser reduzida a uma regra ou máxima. Nenhuma máxima dá conta de tudo, as máximas são muito pequenas – não podem conter a vida e suas energias vivas. Por isso, a regra de ouro faz sentido: a de que não existem regras de ouro.

Um ser humano autêntico não vive à base de regras, de máximas, de mandamentos. O ser humano autêntico simplesmente vive.

A VIDA É UM VERBO

A linguagem é criada para o uso diário, é criada para a vida mundana. No que diz respeito a isso, ela é boa. É perfeitamente adequada para o mercado, mas, quando você começa a mergulhar em águas mais profundas, ela se torna cada vez mais inadequada – não apenas inadequada: ela começa a ficar absolutamente incorreta.

Por exemplo, pense nestas duas palavras: experiência e experienciar. Quando você usa a palavra *experiência*, ela lhe transmite uma sensação de conclusão, como se algo tivesse chegado a um ponto final. Na vida não existem pontos finais. A vida não sabe absolutamente nada sobre pontos finais – ela é um processo contínuo, um rio eterno. O objetivo nunca chega. Está sempre chegando, mas nunca chega. Portanto, a palavra *experiência* não é correta. Ela transmite uma noção falsa de conclusão, de perfeição. Faz com que você sinta que chegou. *Experienciar* é muito mais verdadeiro.

No que diz respeito à vida de verdade, todos os substantivos são errados, só os verbos são verdadeiros. Quando você diz "Isto é uma árvore", está fazendo uma afirmação errada do ponto de vista existencial. Não do ponto de vista lingüístico ou gramatical, mas do ponto de vista existencial você está fazendo uma afirmação errada, porque a árvore não é uma coisa estática. Ela está crescendo. Ela nunca está em um estado de "ausência de ser", está sempre se tornando algo. De fato, chamá-la de árvore não está correto. Ela está *arborescendo*. O rio está *enriezando*.

Se você olhar a vida a fundo, os substantivos desaparecem e só ficam os verbos. Mas isso criará um problema no mundo lá fora.

Você não pode dizer às pessoas: "Eu fui a um *enriezando*" ou "Esta manhã, vi uma linda *arborescendo*". Elas iam achar que você ficou louco! Mas nada é estático na vida. Nada está em repouso.

Maturidade nada tem a ver com as experiências exteriores da vida. Tem algo a ver com a sua jornada interior, com as experiências do seu interior. Maturidade é um outro nome para realização: você chegou à plenitude do seu potencial, tornou-se você de verdade. A semente empreendeu uma longa jornada e floresceu.

O crente não é alguém que busca. O crente não quer buscar nada. É por isso que ele acredita. O crente quer evitar a busca, por isso ele acredita. O crente quer ser levado, salvo. Ele precisa de um salvador, ele está sempre em busca de um messias – alguém que possa comer por ele, mastigar por ele, digerir por ele.

Mas, se eu comer, a fome que você tem não será saciada. Ninguém pode salvá-lo, a não ser você mesmo.

A crença não tem nada a ver com a verdade. Você pode acreditar que é noite, mas o dia não vai anoitecer só porque você acredita nisso. Ele não vai se tornar noite. Você está vivendo um tipo de alucinação.

Existe este perigo na crença: ela faz você achar que conhece a verdade. E como faz você achar que conhece a verdade, isso se torna uma grande barreira na busca. Acredite ou desacredite e você estará bloqueado – porque a descrença nada mais é do que a crença numa forma negativa.

O católico acredita em Deus, o comunista acredita em um não-deus: ambos são crentes. Vá para a Caaba ou vá para o Comintern, vá para o Kailasa ou para o Kremlin – é tudo a mesma coisa. O crente acredita que é assim, o descrente acredita que não é. E pelo fato de os dois já terem chegado a uma conclusão, sem se darem ao trabalho de ir lá e descobrir por si mesmos, quanto mais forte for a crença, maior será a barreira. Eles nunca farão uma peregrinação, não é preciso. Viverão cercados pela própria ilusão, criada e sustentada por eles mesmos. Pode ser reconfortante, mas não é libertador. Milhões de pessoas estão desperdiçando a vida com a crença e a descrença.

A busca pela verdade começa quando você deixa de lado todas as crenças. Você diz: "Eu gostaria de encontrar a verdade por mim mesmo. Não acreditarei em Cristo e não acreditarei em Buda. Eu gostaria de me tornar eu mesmo um Cristo ou um Buda. Gostaria de ser uma luz para mim mesmo." Por que você deveria ser cristão? Seja um Cristo se você puder, mas não seja um cristão. Seja um Buda se tiver algum respeito por si mesmo, mas não seja um budista. O budista acredita. O Buda sabe.

Se você pode saber, se é possível saber, então por que se contentar em acreditar?

Você tem que entender a diferença entre consciência moral e consciência.

A consciência é sua.

A consciência moral é transmitida pela sociedade. Ele é uma imposição sobre a sua consciência.

Cada sociedade impõe um tipo de idéia sobre a sua consciência, mas todas elas impõem alguma coisa. E depois que algo é imposto sobre a sua consciência, você não é mais capaz de escutá-la – ela fica muito distante. Entre a sua consciência e você se ergue uma parede espessa de dever e de moral que a sociedade lhe impôs desde a sua mais tenra infância.

A menos que você faça uma pessoa se sentir culpada, você não consegue escravizá-la psicologicamente. É impossível aprisioná-la a uma certa ideologia, a um certo sistema de crença.

Mas depois que você cria a culpa na mente da pessoa, toma tudo o que havia de coragem nela. Destrói tudo o que havia de aventureiro nela. Reprime todas as possibilidades de que ela seja, um dia, um indivíduo por seus próprios méritos.

Com a idéia de culpa, você quase extirpa o potencial humano dessa pessoa. Ela nunca poderá ser independente. A culpa a forçará a depender de um messias, de um ensinamento religioso, de Deus, de conceitos de céu e inferno, de toda essa coisa.

E para criar a culpa você só precisa de algo muito simples: comece a falar de erros, enganos – pecados.

Sim e não

Desobediência é a grande revolução. Isso não significa ser absolutamente contra qualquer situação. Significa simplesmente *decidir* fazer algo ou não, se é benéfico fazer algo ou não. É assumir a responsabilidade por si.

Não é uma questão de odiar a pessoa ou de odiar que lhe digam o que fazer. Nesse ódio, você não pode agir com obediência ou desobediência – ao contrário, pode agir com inconsciência. Você não pode agir com inteligência.

Quando lhe dizem para fazer alguma coisa, estão lhe dando a oportunidade de responder. Talvez o que lhe ordenem esteja certo. Então obedeça a ordem e seja grato à pessoa que lhe disse no momento certo o que fazer. Talvez a ordem não esteja certa. Então ajude a pessoa a entender que sua linha de raciocínio está errada. Mas não há por que odiar.

Se a ordem estiver certa, cumpra-a com amor. Se não estiver, é necessário demonstrar mais amor ainda, porque você terá que explicar à pessoa que aquilo não está certo.

O caminho da desobediência não é estagnado, não é ser contra toda e qualquer ordem e alimentar raiva, ódio e desejo de vingança em relação a alguém. O caminho da desobediência é um caminho de grande inteligência.

Leva tempo até você crescer, amadurecer, chegar a uma maturidade em que possa dizer sim e continuar sendo livre, em que você possa dizer sim e continuar sendo único e não se tornar um escravo.

A liberdade que se consegue dizendo não é uma liberdade muito infantil. Ela é boa para quem tem de 7 a 14 anos de idade. Mas se a pessoa ficar presa a isso e sua vida inteira se tornar uma sucessão de nãos, então ela parou de crescer.

O crescimento supremo é dizer sim com tanta alegria quanto uma criança diz não. Essa é a segunda infância. E aquela pessoa que consegue dizer sim com tamanha liberdade e alegria – sem nenhuma hesitação, sem nada que a prenda, sem qualquer condição, com alegria pura e simples, com um sim puro e simples – tornou-se sábia. Ela vive em harmonia novamente.

E essa harmonia tem uma dimensão completamente diferente da harmonia das árvores, dos animais, dos pássaros. Eles vivem em harmonia porque não podem dizer não, e o sábio vive em harmonia porque ele não diz não. Entre os dois, os pássaros e os budas, estão todos os seres humanos – não-crescidos, imaturos, infantis, estancados em algum lugar, tentando ainda dizer não para ter uma certa sensação de liberdade.

Qual é a minha definição de certo? Aquilo que está em harmonia com a existência é certo e aquilo que está em desarmonia com a existência é errado. Você precisa estar o tempo todo muito alerta, porque isso terá que ser decidido a cada instante. Não pode depender de respostas prontas para saber se algo está certo ou errado.

Vivendo com o diabo

Devil, a palavra inglesa para diabo, é muito bonita. Se ela for lida de trás para a frente, fica *lived* (vivido). Aquilo que é vivido torna-se divino e aquilo que não é vivido torna-se o diabo. Só o que foi vivido se transforma em divindade. O que não foi torna-se veneno. Hoje você adia, e seja o que for que não tenha sido vivido por você é carregado nos ombros como um peso. Se tivesse dado vida a isso, estaria livre desse peso.

A Terra é linda. Se você começar a viver essa beleza, apreciando suas alegrias sem qualquer culpa no coração, estará no paraíso. Se você condenar tudo, toda pequena alegria, se você se tornar alguém que só faz condenações, que só envenena, então essa mesma Terra virará um inferno – mas só para você. Depende de você o lugar em que vive. Tudo é uma questão da sua própria transformação interior. Não é uma questão de mudar de lugar, é uma questão de mudar de espaço interior.

Lembre-se sempre deste princípio básico: se você lutar contra algo que é falso, será derrotado. O falso não pode ser vencido porque ele é falso! Como derrotar algo que é não-existencial? Não há jeito. O único jeito é levar luz e ver o que há ali.

A vida deve ser cercada de amor, não de medo. É o medo que cria a raiva. É o medo que acaba criando a violência. Você já observou? O medo é só uma forma feminina de raiva e a raiva é uma forma masculina de medo. O medo é uma forma passiva de raiva e a raiva é uma forma ativa de medo. Por isso você pode passar do medo para a raiva com muita facilidade, assim como da raiva para o medo facilmente.

Às vezes, as pessoas me procuram e dizem: "Estamos sentindo muito medo." Eu digo a elas: "Vá e soque um travesseiro, fique furioso com ele."

Elas perguntam: "O que vai acontecer?" Eu respondo: "Simplesmente tente!" É uma revelação para elas. Quando socam o travesseiro com raiva de verdade, imediatamente o medo desaparece, porque a mesma energia se transforma e fica ativa. Ela estava inativa, então era medo.

O medo é a causa básica do ódio, da raiva, da violência.

Eis a diferença entre emoções negativas e positivas: se você toma consciência de uma certa emoção e, pelo fato de tomar consciência, a emoção se dissipar, ela é negativa. Se ao tomar consciência de uma certa emoção você se tornar a emoção, se a emoção se expandir e passar a ser o seu próprio ser, ela é positiva. A consciência funciona de modo diferente em cada caso. Se a emoção é venenosa, você se livra dela por meio da consciência. Se ela é boa, agradável, prazerosa, você e ela passam a ser uma coisa só. A consciência a aprofunda.

Então, para mim, este é o critério: se algo se aprofunda com a consciência, isso é bom. Se algo se dissipa por meio da consciência, isso é ruim. Aquilo que não consegue permanecer na consciência é pecado e aquilo que se desenvolve com a consciência é virtude. Virtude e pecado não são conceitos sociais, mas realizações interiores.

Com uma vida tão curta, com uma fonte de energia tão pequena, é simplesmente estupidez desperdiçá-la com tristeza, com raiva, com ódio, com ciúme. Aproveite a vida com amor, aproveite-a fazendo algo criativo, com amizade, com meditação. Faça com a sua energia algo que o eleve. E quanto mais alto for, mais fontes de energia estarão disponíveis para você. No ponto mais elevado da consciência, você é quase um deus.

A consciência é necessária, não a condenação – e através da consciência a transformação acontece espontaneamente. Se você toma consciência da sua raiva, surge o entendimento. Basta observar, sem julgamentos, sem dizer que aquilo é bom ou ruim, só observando em seu céu interior. Há um relâmpago, uma raiva, você se sente quente, todo o sistema nervoso se agita e estremece e há um tremor no corpo todo – um belo momento, porque quando a energia flui é possível observá-la com facilidade. Do contrário, você não pode observá-la.

Feche os olhos e medite sobre isso. Não lute, só observe o que está acontecendo – todo o céu se enche de eletricidade, tantos relâmpagos, tanta beleza. Apenas deite no chão, olhe para o céu e observe.

Então faça o mesmo interiormente. As nuvens estão ali, já que sem nuvens não pode haver relâmpagos – nuvens negras, pensamentos. Alguém o insultou, alguém riu de você, alguém disse que você é isso ou aquilo... Muitas nuvens, nuvens escuras no céu interior, e muitos relâmpagos. Observe! É uma linda cena – é terrível também, porque você não a entende. É misterioso, e, se o mistério não é compreendido, ele é terrível. Você tem medo dele.

E sempre que um mistério é compreendido, ele se torna uma bênção, uma dádiva. Agora você tem as chaves – e com as chaves você é o mestre. Você não "controla" isso – quando está consciente, simplesmente se torna um mestre.

A pessoa que nunca fica com raiva e que vive controlando sua raiva é muito perigosa. Cuidado com ela: ela pode matar você. Se seu amigo nunca fica com raiva, denuncie-o à polícia! Alguém que às vezes fica com raiva é um ser humano natural, não há por que se preocupar com isso. Mas a pessoa que nunca fica com raiva um dia, de repente, pulará no seu pescoço e estrangulará você! Ela fará isso como se estivesse possuída. Os assassinos têm dito ao longo das eras nos tribunais: "Cometi o crime, mas estava possuído."

Quem os estava possuindo? Seu próprio inconsciente, seu inconsciente reprimido, inexplorado.

Em guerra

Você nunca vê animais guerreando. É claro que há brigas às vezes, mas são brigas individuais – não guerras mundiais com todos os corvos do Leste brigando com todos os corvos do Oeste ou todos os cães da Índia brigando com todos os cães do Paquistão. Isso não há. Os cães não são tão tolos, nem os corvos. Sim, às vezes eles brigam e não há nada de errado com isso. Se a liberdade deles é desrespeitada, eles brigam. Mas a briga é individual, não uma grande guerra.

Agora, o que você fez? Reprimiu a humanidade e não permitiu que indivíduos ficassem com raiva às vezes, o que é natural. O resultado é que todo mundo continua a guardar a raiva, continua reprimindo a raiva. Então, um dia todo mundo fica tão cheio de veneno que essa raiva explode numa guerra mundial.

Obediência não precisa de inteligência. Todas as máquinas são obedientes. Ninguém jamais ouviu falar de uma máquina desobediente. Obediência é algo simples também. Ela tira de você todo o peso da responsabilidade. Não é preciso reagir, você simplesmente faz o que lhe mandam fazer. A responsabilidade fica com a fonte de onde parte a ordem. De certa forma, isso o deixa extremamente livre: você não pode ser condenado pelos seus atos.

O poder está na mão dessas pessoas... Qualquer maluco pode apertar um botão e acabar com toda a humanidade, com toda a vida sobre a face da Terra. Mas talvez, lá no fundo, a humanidade também queira se livrar dela mesma. Talvez, individualmente, as pessoas não tenham coragem suficiente para acabar com a própria vida, mas, em massa, elas já estão prontas.

Lembre-se sempre de que os indivíduos não cometem grandes crimes. São sempre as multidões. Numa multidão, nenhum indivíduo pensa: "Sou o responsável pelo que está acontecendo." Ele pensa: "Sou apenas mais um na multidão." Individualmente, quando quer fazer algo, você pensa três vezes antes: "O que estou fazendo? Está certo? Minha consciência permite isso?" Mas o mesmo não acontece quando está numa multidão. Você pode se perder na multidão – ninguém descobrirá que também fazia parte dela.

As religiões, a sociedade e os políticos só deram ficções para o povo viver. Agora, todas as ficções estão indo abaixo e o povo não tem pelo que viver – por isso a angústia. A angústia não é um estado comum de preocupação. A preocupação está sempre centrada em um certo problema. Você não tem dinheiro, não tem roupas suficientes e o inverno está chegando, está doente e não tem remédios, aí surge a preocupação. A preocupação está relacionada com um certo problema.

A angústia não tem um problema desse tipo. Existir simplesmente parece uma coisa fútil, inútil. Respirar simplesmente parece arrastar você pela vida desnecessariamente. E seus planos para o amanhã continuam, mas chega um momento em que você começa a perceber que nada vai acontecer. Então surge a angústia. Na angústia, a única preocupação passa a ser sair, de alguma forma, desse ciclo de vida – por isso o aumento na taxa de suicídios e um desejo inconsciente da humanidade de que a Terceira Guerra aconteça. Assim, "não sou responsável por estar me suicidando. A guerra mundial matou a todos e me matou também".

Desejo de poder

Você precisa de poder apenas para fazer algo nocivo. Do contrário, o amor é suficiente, a compaixão é suficiente.

Não é possível qualquer revolução política, social, econômica. A única revolução possível é a do espírito – é individual. E se milhões de indivíduos mudarem, então a sociedade mudará em conseqüência disso, não o contrário. Você não pode mudar a sociedade primeiro e esperar que os indivíduos mudem depois.

A história verdadeira ainda não foi escrita, porque ficamos muito ocupados com as coisas temporais. Ficamos obcecados com os jornais, que só têm relevância hoje – amanhã não significarão mais nada.

Se você tiver olhos para ver, veja o essencial: passe a se interessar pelo eterno.

O que os políticos têm feito no mundo inteiro, ao longo de toda a história, é simplesmente desumano e feio. Mas a razão, a razão básica, é que eles têm um sentimento profundo de inferioridade e querem provar a si mesmos que não. "Olhe, você tem tanto poder, tem tantas pessoas nas mãos, que pode mandar e desmandar, tem tantas armas nucleares! Simplesmente aperte um botão e pode destruir o planeta inteiro."

O poder sobre os outros é destrutivo – sempre destrutivo. Em um mundo melhor, qualquer um que seja ambicioso, que queira ser mais importante do que os outros, que queira estar à frente dos outros, teria que passar por um tratamento psicológico.

Para que servem as nações? A Terra é uma só.

Apenas nos mapas você continua desenhando linhas e, por causa dessas linhas, continua brigando, matando e assassinando. É um jogo estúpido que, a menos que a humanidade inteira esteja louca, é impossível pensar em como vai continuar.

Somos ensinados a pensar que, a menos que haja reconhecimento, não somos ninguém, não valemos nada. O trabalho não é importante; o reconhecimento, sim. E isso deixa tudo de cabeça para baixo. O trabalho deveria ser importante – um prazer por si só. Você não deveria trabalhar para ser reconhecido, mas porque gosta de ser criativo. Você gosta do seu trabalho pelo que ele é. Faça um trabalho porque o aprecia. Não espere por reconhecimento. Se ele vier, encare-o com naturalidade. Se não vier, não pense nisso. Sua satisfação tem que vir do trabalho em si. E se todo mundo aprender essa arte simples de amar o trabalho, seja ele qual for, gostando dele sem esperar qualquer reconhecimento, teremos um mundo mais bonito e festivo.

A existência é abundante – milhões e milhões de flores, milhões de pássaros, milhões de animais... Tudo em abundância. A natureza não é ascética, ela está dançando por aí – no vento passando pelos pinheiros, nos pássaros... Para que milhões de galáxias, cada uma delas com milhões de estrelas? Parece não haver necessidade, exceto pelo fato de que a abundância é a própria natureza da existência; essa riqueza é seu próprio cerne. A existência não acredita em pobreza.

Se você sabe apreciar uma flor cor-de-rosa, uma árvore verdejante no seu quintal, as montanhas, os rios, as estrelas, a lua, se você sabe apreciar as pessoas, não ficará obcecado por dinheiro. A obsessão aparece porque nós esquecemos a linguagem da celebração.

Não estou dizendo para você renunciar ao dinheiro. Isso é o que estão lhe dizendo há eras e não mudou você em nada. Estou lhe dizendo outra coisa: celebre a vida e a obsessão por dinheiro desaparecerá automaticamente. E, quando isso acontece naturalmente, não deixa marcas, não deixa feridas, não deixa traços.

Os búfalos não se organizam para revolucionar o mundo, para transformar os búfalos em superbúfalos, para tornar os búfalos religiosos, virtuosos. Nenhum animal está absolutamente preocupado com as idéias humanas. E eles devem estar todos rindo: "O que aconteceu com vocês? Por que não podem ser simplesmente o que são? Por que precisam ser diferentes?"

Ninguém é superior e ninguém é inferior, mas ninguém é igual a ninguém. As pessoas são simplesmente únicas, incomparáveis.

Você é você, eu sou eu. Eu tenho que contribuir para a vida com o meu potencial, você tem que contribuir com o seu.

Eu tenho que descobrir o meu próprio ser, você tem que descobrir o seu.

A vida em si é uma tela em branco: ela se torna aquilo que você pintar nela. Você pode pintar sofrimento, pode pintar bem-aventurança. Essa liberdade é a nossa glória.

Quando você vir raiva nos outros, mergulhe dentro de si mesmo e encontrará raiva ali. Quando vir muito ego nos outros, simplesmente interiorize-se e descobrirá o ego instalado dentro de si próprio. O interior funciona como um projetor: os outros se tornam telas e você começa a ver filmes projetados nos outros que, na verdade, são seus.

Sempre que há alegria, você sente como se ela viesse de fora. Você encontra um amigo – é claro que parece que a alegria vem dele, do fato de vê-lo. Não é isso o que acontece na verdade. A alegria sempre vem de dentro de você – o amigo apenas a provocou. O amigo a ajudou a vir para fora, o ajudou a ver que existe alegria em seu interior.

E isso não vale só para a alegria, mas para tudo. Para a raiva, para a tristeza, para o sofrimento, para a felicidade, para tudo... Os outros estão só proporcionando situações em que as coisas escondidas em você possam ser expressas. Eles não são a causa – não estão causando nada em você. Seja o que for que aconteça, está acontecendo em você. Aquilo sempre esteve lá. Porém, o encontro com esse amigo tornou-se uma situação em que tudo o que estava escondido pôde vir à tona. Os sentimentos estavam em fontes ocultas, mas tornaram-se aparentes, manifestos.

Aconteça o que acontecer, fique centrado no sentimento interior e você terá uma atitude diferente em relação a tudo na vida.

Depois que a doença desaparece, todo mundo vira criador. Isso deve ficar bem claro: só as pessoas doentes são destrutivas. As pessoas saudáveis são criativas. A criatividade é um tipo de fragrância da verdadeira saúde. Quando uma pessoa é realmente saudável, a criatividade vem naturalmente, a urgência de criar aparece.

Quando você não compara, quando não compete, quando não é ambicioso, quando não quer ser alguém que não é, acumula muita energia – porque toda essa energia que estava sendo gasta na competição e no conflito não é mais desperdiçada. Você passa a ser um reservatório. Dessa energia vem a criatividade.

A criatividade não tem nada a ver com competição, ela tem a ver com energia transbordante. William Blake está certo ao dizer: "Energia é a eterna alegria." Quando você transborda de energia, fica incandescente e chamejante de tanta energia, a própria energia vira criatividade. Você começa a crescer, mas agora esse crescimento tem uma conotação completamente diferente. Ela não tem objetivo algum – tem uma fonte, mas não um objetivo. Agora você não está pensando em quem vai ser, não está perseguindo um certo objetivo, um certo plano. Você é como um grande rio que, por meio de sua força impetuosa, chega ao oceano. Nenhum rio está em busca do oceano, mas os rios chegam ao oceano. E nenhum rio compete com os outros, mas todos chegam ao oceano. Os rios chegam ao oceano graças à água transbordante. Essa mesma energia é suficiente para levá-lo ao oceano.

Você pode se tornar um oceano de criatividade se estiver satisfeito. Assim, a criatividade brota em você, cresce em você – não por um ideal, mas só porque você tem mais do que o suficiente e precisa compartilhá-la. Precisa cantar uma canção, porque o coração está tão repleto e transbordante que você tem que vertê-lo em canções. Não pode conter a energia, por isso o transbordamento acontece. Esse transbordamento é a criatividade.

Sempre um rio

Relacionamento significa algo completo, acabado, fechado. O amor nunca é um relacionamento. O amor é relacionar-se. Ele é sempre um rio, fluente, sem fim. O amor não sabe o que é ponto final. A lua-de-mel começa, mas nunca acaba. Os amantes têm um fim, o amor continua. É um verbo, não um substantivo.

E por que nós reduzimos a beleza do relacionar-se a um relacionamento? Por que temos tanta pressa? Porque o relacionar-se é inseguro e o relacionamento é uma forma de segurança. Relacionamento dá uma certeza. Relacionar-se é só um encontro entre dois estranhos, talvez só por uma noite, e, pela manhã, dizem adeus. Quem sabe o que vai acontecer amanhã?

O amor não é uma quantidade, é uma qualidade – e uma qualidade de uma certa categoria que se desenvolve quando a damos e que morre se a retemos. Se você for mesquinho em relação ao amor, ele morre. Então seja realmente um esbanjador! Sinta-se livre para dar o seu amor.

O amor sabe como explorar o desconhecido. O amor sabe como pôr de lado todas as seguranças. O amor sabe desbravar o desconhecido e não-mapeado. Amor é coragem. Confie no amor.

O QUE É VERDADEIRO

Eu sou contra flores de plástico. As flores de verdade são muito diferentes. As flores de plástico são permanentes – o amor de plástico será permanente. A flor de verdade não é permanente: ela muda a todo momento. Hoje ela está lá dançando ao vento, sob o sol e a chuva. Amanhã você já não será capaz de encontrá-la – ela desapareceu tão misteriosamente quanto apareceu.

O amor de verdade é como uma flor de verdade.

Aquele que sabe viver também sabe morrer. Aquele que sabe cair de amores também sabe o momento de cair fora dele. Ele faz isso com graça, com um adeus, com gratidão.

As pessoas não sabem amar e, por isso, não sabem dizer adeus quando chega a hora. Se você ama, saberá que tudo começa e tudo tem fim, que há um tempo para começar e um tempo para terminar e que não há qualquer dor nisso. A pessoa não sai ferida: ela simplesmente sabe que a estação terminou. Ela não se desespera: simplesmente entende e agradece ao outro: "Você me concedeu tantas dádivas maravilhosas, me deu novas visões da vida, abriu algumas janelas que eu nunca teria aberto por mim mesmo. Agora chegou o momento de nos separarmos e de tomarmos rumos diferentes." Sem raiva, sem fúria, sem ressentimento, sem qualquer reclamação, mas com uma imensa gratidão, um imenso amor, com o coração cheio de agradecimento.

Normalmente, você encontra a palavra "permanente" nos dicionários como se ela fosse sinônimo de "eterno". Mas não é. O eterno é sempre momentâneo. Olhe o botão de rosa outra vez. De manhã ele está ali, à noite não está mais. Foi momentâneo. Mas ele surgirá novamente – amanhã pela manhã outra rosa estará ali. Ela sempre ressurgirá. O eterno emerge por meio do momentâneo, o eterno olha por meio do momentâneo. Uma flor se vai, outra vem. Na verdade, aquela que se vai apenas dá espaço para a outra. A beleza é eterna. A "rosidade" é eterna. As rosas vêm e vão; a "rosidade" é eterna.

Viva no momentâneo. E viva no momentâneo sem desejar o permanente. Do contrário, você perderá o eterno. Viva no momento com tamanha intensidade e plenitude que esquecerá o permanente. O permanente é uma projeção no futuro. O permanente é seu desejo. Ele não tem nada a ver com a realidade. O eterno é a profundidade do momentâneo – o eterno está no momento. O permanente é horizontal, linear. O eterno é vertical.

Alguém está nadando na superfície de um rio profundo – é assim que é o permanente. E alguém mergulha nas profundezas do rio – eis o eterno. Mergulhe fundo no momento e você tocará o eterno. Olhe a rosa. Sim, essa rosa é momentânea. Mas olhe mais fundo, mergulhe fundo e, de repente, você verá que oculta por trás da rosa está a "rosidade". Oculta atrás dessa momentânea rosa está a beleza eterna, divina. As flores vêm e vão – o florescer permanece. As rosas vêm e vão – a "rosidade" permanece. Os amantes vêm e vão – o amor permanece.

Maravilhado

Só as pessoas cegas acreditam na luz. Aquelas que têm olhos não acreditam na luz, elas simplesmente a vêem.

A verdade não pode ser transferida. A verdade não pode ser entregue a você por outra pessoa, porque ela não é uma mercadoria. Não é um objeto. É uma experiência.

A verdade precisa de olhos meditativos. Se você não tiver olhos meditativos, então toda a vida resume-se a fatos mortos, sem qualquer relação entre si, acidentais, sem sentido, embaralhados... É só um fenômeno casual.

Se você vê a verdade, tudo entra nos eixos. Tudo se encaixa em harmonia, tudo começa a ter significância.

Lembre-se sempre de que a significância é a sombra da verdade. E aqueles que vivem apenas nos fatos levam uma vida totalmente sem sentido.

Não acredito em acreditar. Isso deve ser entendido em primeiro lugar.

Ninguém me pergunta: "Você acredita no botão de rosa?" Não é necessário. Você pode ver: a rosa está ali ou não está. É preciso acreditar apenas em ficções, não em fatos.

A crença é confortável, é conveniente. Ela entorpece. É um tipo de droga – ela faz de você um zumbi.

O zumbi pode ser cristão, hindu, muçulmano – eles são todos zumbis com rótulos diferentes. E, às vezes, ficam fartos de um rótulo e resolvem mudá-lo: o hindu passa a ser cristão, o cristão passa a ser hindu – um novo rótulo, diferente, mas por trás do rótulo o mesmo sistema de crença.

Destrua suas crenças. Certamente será desconfortável, inconveniente, mas nada de valor pode ser ganho sem inconveniência.

A palavra religião tem que ser entendida. Ela é expressiva: significa juntar as partes de modo que elas deixem de ser partes e se tornem o todo.

Cada parte se torna o todo, em união. Cada parte, separada, está morta. Unidas, uma nova qualidade aparece – a qualidade do todo. E levar essa qualidade à sua vida é o propósito da religião.

Ela não tem nada a ver com Deus ou com o diabo. Mas, da maneira como as religiões funcionam neste mundo, elas mudaram toda a sua qualidade, sua própria estrutura. Em vez de fazer dela uma ciência de integração, de modo que os homens não sejam muitos, mas um só, as religiões do mundo todo ajudaram a humanidade a esquecer até mesmo do significado da palavra.

A religião não é algo em que acreditar, mas algo para ser vivido, algo para se vivenciar. Não é uma crença na sua cabeça, mas um aroma em todo o seu ser.

Teístas e ateístas são vítimas igualmente. A pessoa verdadeiramente religiosa não tem nada a ver com a Bíblia, com o Alcorão ou com o Bhagavad Gita. A pessoa religiosa está em profunda comunhão com a existência. Ela pode dizer sim para uma rosa, para as estrelas, para as pessoas. Ela pode dizer sim para o seu próprio ser, para os seus próprios desejos. Pode dizer sim para qualquer coisa que a vida lhe ofereça.

Ao ver o pôr-do-sol, por um instante você esquece seu estado de separação e passa a ser o pôr-do-sol. Esse é o momento em que sente a beleza dele. Mas, no instante em que diz "que lindo pôr-do-sol", deixa de senti-lo – você volta para a sua entidade separada e fechada do ego. Agora é a mente falando. E esse é um dos mistérios: a mente pode falar e ela nada sabe, e o coração sabe tudo mas não sabe falar.

O mais belo momento da vida de uma pessoa é quando não há nem confusão nem certeza. Ela simplesmente é. Um espelho refletindo aquilo que é, sem nenhuma direção, indo para lugar algum, sem idéia de fazer algo, sem nenhum futuro, só absolutamente no presente, intensamente no presente.

O cognoscível é comum, mundano. O incognoscível é sagrado. E só com o incognoscível a vida se torna uma bênção, só com o incognoscível você vibra com o milagre da vida e da existência.

O conhecimento gratifica o ego. A sabedoria só acontece quando o ego desaparece, é esquecido. O conhecimento pode ser aprendido – as universidades existem para lhe ensinar. A sabedoria não pode ser aprendida, ela é como uma infecção. Você tem que ficar com um sábio, tem que andar com ele, e só então algo começará a se agitar dentro de você.

Quando você é capaz de ver o espelho da sua alma sem a poeira do conhecimento, quando sua alma não está coberta pela poeira do conhecimento, quando ela é somente um espelho, reflete aquilo que é. Isso é sabedoria. Esse reflexo do que é corresponde à sabedoria.

Sempre que você ri, está mais perto do divino. Sempre que ama, está mais perto do divino. Sempre que canta, dança e toca música, vive a religião de verdade.

A sabedoria não tem nada a ver com conhecimento, absolutamente nada. Ela tem algo a ver com inocência. Algo da pureza do coração é necessário, algo da vastidão do ser é necessário para que a sabedoria cresça.

Fique num estado de não-saber. Viva a partir desse estado. Olhe as árvores como uma criança, olhe a lua como um poeta, olhe o céu como um louco!

Nunca deixe de se maravilhar se quiser que os mistérios se desvendem para você. Os mistérios nunca se desvendam para aqueles que não param de questionar. Aqueles que questionam cedo ou tarde acabam numa biblioteca consultando as escrituras, porque as escrituras estão cheias de respostas. E as respostas são perigosas: elas podem destruir a sua admiração.

Elas são perigosas porque dão a sensação de que você sabe, embora não saiba. Elas lhe dão a compreensão incorreta de que agora as perguntas estão solucionadas. "Eu sei o que a Bíblia diz, eu sei o que o Alcorão diz, eu sei o que o Gita diz. Eu consegui." Você vira um papagaio: repetirá as coisas, mas não saberá de nada. Não é esse o caminho para o saber – o conhecimento não é o caminho para o saber.

Então, qual é o caminho para o saber? A admiração. Deixe que o seu coração dance maravilhado. Encha-se de admiração: pulse com ela, inspire-a, expire-a. Por que ter tanta pressa para conseguir a resposta? Você não pode deixar que o mistério continue sendo um mistério? Eu sei que é grande a tentação para não deixar que ele continue sendo um mistério, para reduzi-lo a um conhecimento. Por que existe essa tentação? Porque, quando você se encontra repleto de conhecimento, está no controle.

O mistério controlará você, o conhecimento o deixará no controle. O mistério o possuirá. Você não pode possuir o mistério: ele é vasto demais e as suas mãos são muito pequenas. Ele é tão infinito que você não pode possuí-lo. Tem que ser possuído por ele – e esse é o seu medo. Você pode possuir e controlar o conhecimento, ele é tão trivial...

Essa tentação da mente de reduzir toda maravilha, todo mistério, a uma pergunta é pautada basicamente pelo medo. Temos receio do que é extraordinário na vida, desta incrível existência. Estamos amedrontados. Por causa desse medo, criamos alguns pequenos conhecimentos à nossa volta como uma proteção, como uma armadura, uma defesa.

Só os covardes reduzem a meras perguntas a capacidade incrivelmente valiosa de se maravilhar. A pessoa realmente valente, corajosa, deixa as coisas como são. Em vez de transformar a maravilha em uma pergunta, ela mergulha no mistério. Em vez de tentar controlá-lo, ela deixa que o mistério a possua.

A partir do estado de admiração, existem dois caminhos. Um é o do questionamento – o caminho errado. Ele leva você a acumular cada vez mais conhecimento. O outro é não questionar, mas deleitar-se. Deleite-se com a maravilha que é a vida, a maravilha que é a existência, as maravilhas que são o sol, a luz do sol e as árvores banhadas com seus raios dourados.

Viva a admiração. Não coloque depois dela um ponto de interrogação. Deixe-a ser como é.

"Arte pela arte", dizem por aí. Pode ser que sim, pode ser que não – não sou artista. Mas posso dizer a você: a vida é só para ser vivida. Cada momento vale por si mesmo. Sacrificá-lo em nome de outra coisa é falta de inteligência. E depois que o hábito de sacrificar se instala, você passa a sacrificar este momento pelo seguinte, o seguinte pelo que vem depois e assim por diante – este ano pelo seguinte, esta vida pela seguinte! Trata-se de um processo simples e lógico: depois que você deu o primeiro passo, inicia toda a jornada – a jornada que o leva a um deserto estéril, jornada que é autodestrutiva e suicida.

Viva o momento pelo alegre prazer de vivê-lo. Viva sem o sentimento de dever, sem imposições, sem obrigações, sem mandamentos. Você não está aqui para ser um mártir: está aqui para aproveitar a vida ao máximo.

E a única maneira de viver, amar e ter prazer é esquecer o futuro. Ele não existe. Se você conseguir esquecer o futuro, se puder ver que ele não existe, não há por que se preparar constantemente para ele. No momento em que o futuro é deixado de lado, o passado passa a ser irrelevante por si só. Nós carregamos o passado de modo a poder usá-lo no futuro. Do contrário, por que carregaríamos o passado?

É desnecessário. Se não existe futuro, para que carregar o conhecimento que o passado lhe proporcionou? Trata-se de um fardo que acabará com o prazer da jornada.

E deixe-me lembrá-lo de que se trata de uma pura jornada. A vida é uma peregrinação para lugar nenhum – de nenhum lugar para lugar nenhum. E entre esses dois pontos está o aqui e agora. O lugar nenhum consiste em duas palavras: aqui e agora.

O FIM DA ESTRADA

Saber que tudo deu em nada é o começo de uma nova jornada. Saber que "tudo o que conquistei se perdeu" é o início de uma nova busca por algo que não se pode perder. Quando a pessoa está completamente desiludida com o mundo e com todos os sucessos que ele pode oferecer, só então pode se tornar espiritual.

O homem pobre nunca é completamente pobre, porque ele ainda tem esperanças: algum dia o destino lhe trará muitas bênçãos, algum dia ele chegará onde quer, ele fará suas conquistas. Ele ainda pode ter esperanças. O homem rico já chegou onde queria, suas esperanças se realizaram – agora, de repente, ele descobre que nada se realizou. Todas as esperanças foram realizadas e nada ainda foi realizado. Ele já chegou onde queria e não chegou a lugar algum – tudo foi apenas uma jornada de sonho. Ele não deu sequer um passo.

O homem que conquistou o sucesso neste mundo sente mais do que ninguém a dor de ser um fracasso. Existe um provérbio que diz: nada faz tanto sucesso quanto o sucesso. Eu diria a você o seguinte: não existe maior fracasso do que o sucesso.

Mas isso é algo que você só descobre depois que conquista o sucesso. Depois que acumulou todas as riquezas com que sempre sonhou, cuja conquista planejou e que trabalhou duro para obter. Então, rodeado por todas essas riquezas está o mendigo – lá no fundo, vazio, oco. Nada por dentro e tudo lá fora.

Na verdade, quando tudo que se tem está lá fora, isso forma um contraste. Só enfatiza o seu vazio e a sua nulidade interior. Simplesmente enfatiza sua condição de mendigo, de pobreza. O homem rico conhece a pobreza de uma forma que nenhum homem pobre jamais poderá conhecer.

Ser culto custa tão pouco. Existem escrituras, bibliotecas, universidades. É tão fácil ser uma pessoa instruída. E depois que você passa a ser instruído, fica numa situação delicada, porque o ego gostaria de acreditar que esse conhecimento é seu – não só a instrução, mas a sabedoria. O ego gostaria que esse conhecimento passasse a ser sabedoria. Você começa a acreditar que sabe.

Mas não sabe nada. Você só sabe dos livros e sobre o que está escrito nos livros. Talvez esses livros tenham sido escritos por pessoas assim como você.

Noventa e nove por cento dos livros são escritos por outras pessoas que também gostam de ler e estudar. Na verdade, se ler dez livros, sua mente fica tão cheia de lixo que você começa a ter vontade de despejar toda essa informação num décimo primeiro livro. O que mais você poderia fazer com ela? Você tem que se livrar dessa sobrecarga.

A vida é um fim em si mesmo. Ela não é um meio de se chegar a um fim, ela é um fim por si só. O pássaro em pleno vôo, a rosa ao vento, o sol nascendo pela manhã, as estrelas à noite, um homem apaixonando-se por uma mulher, uma criança brincando na rua... Não existe propósito algum. A vida é simplesmente usufruir dela, deleitar-se com ela. A energia está transbordando, fluindo, sem absolutamente propósito algum.

Questionar é um risco. É explorar o desconhecido. Ninguém sabe o que pode acontecer.

A pessoa deixa de lado tudo o que conquistou, tudo com o que tem familiaridade e parte para o desconhecido, sem nem ao menos saber ao certo se existe alguma coisa na outra margem – ou se existe uma outra margem.

Então as pessoas se apegam ao teísmo. Ou aquelas que são um pouco mais fortes, intelectuais, se apegam ao ateísmo. Mas todas elas estão fugindo da dúvida. E fugir da dúvida é fugir do questionamento – afinal, o que é a dúvida? É só um ponto de interrogação. Ela não é sua inimiga, é simplesmente um ponto de interrogação dentro de você, preparando-o para questionar.

A dúvida é sua amiga.

Osho

Osho de A a Z

Há nas palavras significados ocultos e inteiramente diferentes daqueles que nos acostumamos a usar no dia-a-dia. Em perfeita sintonia com nosso tempo, *Osho de A a Z* mostra o extraordinário poder da linguagem e o efeito que ela provoca em nós e no mundo à nossa volta. Nesse dicionário, um dos mais polêmicos líderes espirituais do século vinte nos ajuda a expandir a consciência para além do que as palavras significam.

O livro da transformação

As histórias e parábolas desse livro são ferramentas para a autodescoberta. Cada uma delas aponta para um caminho de renovação e mudança acessível a cada um de nós. São ensinamentos preciosos que nos instigam a buscar a verdade dentro de nós mesmos e a alimentar a nossa percepção. Utilizando as mais tradicionais fontes de sabedoria do mundo, Osho nos oferece essas importantes lições de forma simples mas contundente, que tocam fundo nossos corações.

Aprendendo a silenciar a mente

Meditação é sentar-se sem fazer nada – não usar seu corpo nem sua mente. É parar de pensar e deixar que a mente, sempre tagarela, silencie por conta própria. Sem esforço, de forma relaxada, fácil, como se fosse um jogo. Você vai se encantar com o jeito leve e irreverente como Osho traduz conceitos espirituais e com sua capacidade de contar histórias. E descobrirá que, ao trocar as palavras pelo silêncio, você verá a vida com maior clareza e criatividade e tornará o seu dia-a-dia mais intenso e cheio de alegria.

Eckhart Tolle

O Poder do Silêncio

Eckhart Tolle, um dos maiores fenômenos da literatura espiritual, nos mostra a importância de silenciar os pensamentos e reencontrar nossa sabedoria interior para viver mais intensamente o momento atual. O poder transformador do silêncio está em nos libertar de nossos pensamentos, medos e desejos, dissipando as tensões do passado e as expectativas em relação ao futuro. Seguindo a tradição dos sutras indianos, Tolle nos transmite seus ensinamentos em forma de aforismos. São 200 textos curtos e inspiradores que abordam diversos temas, entre eles o Agora, os relacionamentos, a morte e a eternidade.

O Poder do Agora

Com mais de dois milhões de exemplares vendidos em todo o mundo, *O Poder do Agora* se tornou um dos maiores fenômenos da literatura espiritual, por sua capacidade de transmitir uma mensagem simples e transformadora: viver no agora é o melhor caminho para a felicidade e a iluminação. Combinando conceitos do cristianismo, do budismo, do hinduísmo, do taoísmo e de outras tradições espirituais, Tolle elaborou um guia de grande eficiência para a descoberta do nosso potencial interior.

Praticando o Poder do Agora

Praticando o Poder do Agora contém exercícios e práticas de meditação que vão ajudá-lo a incorporar os ensinamentos de Eckhart Tolle ao seu dia-a-dia. Esse livro deve ser lido devagar porque somente o que é escrito ou falado no estado de presença tem o poder de transformação. E essa profunda transformação da consciência humana não é uma possibilidade distante no futuro, ela está disponível *agora.*

Os 25 clássicos da Editora Sextante

Um dia daqueles, *Querida mamãe* e *O sentido da vida*, de Bradley Trevor Greive

Você é insubstituível, *Pais brilhantes, professores fascinantes* e *Dez leis para ser feliz*, de Augusto Cury

O Código Da Vinci, de Dan Brown

Palavras de sabedoria, *O caminho da tranqüilidade* e *Uma ética para o novo milênio*, do Dalai-Lama

Os 100 segredos das pessoas felizes, *Os 100 segredos das pessoas de sucesso* e *Os 100 segredos dos bons relacionamentos*, de David Niven

Por que os homens fazem sexo e as mulheres fazem amor?, de Allan e Barbara Pease

Não leve a vida tão a sério, de Hugh Prather

Enquanto o amor não vem, de Iyanla Vanzant

A última grande lição, de Mitch Albom

A Dieta de South Beach, de Arthur Agatston

Histórias para aquecer o coração, de Mark V. Hansen e Jack Canfield

A divina sabedoria dos mestres e *Só o amor é real*, de Brian Weiss

O ócio criativo, de Domenico De Masi

Em busca da espiritualidade, de James Van Praagh

A vida é bela, de Dominique Glocheux

O outro lado da vida, de Sylvia Browne

INFORMAÇÕES SOBRE OS PRÓXIMOS LANÇAMENTOS

Para receber informações sobre os lançamentos da EDITORA SEXTANTE, basta enviar um e-mail para atendimento@esextante.com.br ou cadastrar-se diretamente no site www.sextante.com.br

Para saber mais sobre nossos títulos e autores, e enviar seus comentários sobre este livro, visite o nosso site: www.sextante.com.br

EDITORA SEXTANTE

Rua Voluntários da Pátria, 45 / 1.404 – Botafogo

Rio de Janeiro – RJ – 22270-000 – Brasil

Telefone: (21) 2286-9944 – Fax: (21) 2286-9244

E-mail: atendimento@esextante.com.br